Mevrouw Fledder neemt wraak

Mevrouw Fledder
neemt wraak

Lieneke Dijkzeul
tekeningen van Camila Fialkowski

Een vreemde straat

Wat een rotstraat, denkt Maartje.
Ze zit op de stoeprand en kijkt links en rechts de
straat uit.
Die ziet er vriendelijk uit.
Er staan bomen, en in alle voortuintjes bloeien
bloemen.
Maar het is een vréémde straat.
Hij lijkt helemaal niet op haar eigen, vertrouwde
buurtje.
De huizen zijn anders, de stoeptegels zijn anders.
Zelfs de lantaarnpalen zijn anders.
En kinderen zijn er niet.
Niet één!
Die zijn natuurlijk allemaal op vakantie, denkt
Maartje.
Ze zucht diep.
Zij had nu ook lekker in haar tentje kunnen zitten.
Met een stapel boeken en een zaklantaarn.
Gezellig met een knuffel in haar slaapzak.
Net zoals vorig jaar.
Maar ze moesten verhuizen.
Precies in de grote vakantie.

Ze staat op en slentert de straat uit.
Ze heeft geen zin om nu al weer naar huis te gaan.
Het is er kaal en ongezellig.

5

De meubels staan nog niet op hun plaats.

Overal staan dozen, en papa en mama rennen trap
op, trap af.

'Pas op, Maartje!'

'Ga eens opzij, Maartje!'

Bah.

Ze gaat de hoek om en... BAM!

Keihard loopt ze tegen een jongen op.

'Kijk uit, oen!'

Hij schiet langs haar heen.

Achter hem rent nog een jongen.

Voor Maartjes huis blijven ze staan, lachend en
schreeuwend.

'Die ging goed!'

'Zag je hoe ze keek?'

Waar hebben ze het over?

Langzaam loopt Maartje naar hen toe.

'Hoi. Wat zijn jullie aan het doen?'

De grootste jongen heeft stekeltjeshaar.

Hij draait zich direct om.

'Wat gaat jou dat aan?'

'Robbie, doe niet zo flauw, joh,' zegt de andere
jongen.

Hij lacht naar Maartje.

'Wil je meedoen met pijltjes schieten?'

'We laten nooit meiden meedoen,' zegt Robbie.

Maar de andere jongen houdt haar een blaaspijp
voor.

Tussen zijn broekriem zitten repen papier geklemd.
Hij wijst naar Maartjes slaapkamerraam, dat
openstaat.
'Haal je dat?'
'Eh... ik woon daar,' zegt Maartje.
'O. Nou, dan neem je toch een ander raam?'
Maartje kijkt om zich heen.
Aan de overkant staat ook een raam open.
Ze draait een pijl, likt hem dicht en duwt hem in de
buis.
De jongens kijken naar haar.
Maartjes hart bonst.
Nou moet ze het wel goed doen...
Ze mikt nauwkeurig en blaast.
De pijl zoeft door de lucht en verdwijnt keurig door
het open raam.
'Hm,' zegt de jongen die Robbie heet.
'Niet slecht,' zegt de andere jongen.
Hij lacht.
'Woon je hier pas?'
'Sinds gisteren,' zegt Maartje.
'Dus ik ken nog niemand.'
De jongen knikt.
'Iedereen is op vakantie, behalve wij.
Ik heet Niek, en dat is dus Robbie.'
'Ik heet Maartje,' zegt Maartje.
'Maartje heeft een staartje!' roept Robbie.
Hij lacht hard.

Maartje doet net of ze niks hoort.

'Wonen jullie hier ook in de straat?'

'Nee,' zegt Niek.

Hij wijst naar Robbie.

'Hij woont om de hoek.

En ik woon daar weer achter.'

'Waarom liepen jullie zo hard weg?'

Niek giechelt.

'Daar woont zo'n oud mens, en die kun je leuk
pesten.

We schieten pijltjes door de brievenbus.

Eerst deden we het door de ramen.

Maar dat had ze door.

Nu houdt ze de ramen dicht.

Dus nou doen we het door de brievenbus.

Die kan ze niet steeds dichtdoen.

En het is nog moeilijker ook, je moet heel goed
mikken.'

Hij kijkt naar Robbie.

'Zullen we nog een keertje?'

'Eerst even kijken of ze al weer binnen is,' zegt
Robbie.

Hij grijnst naar Maartje.

'Doe je mee of durf je niet?'

Maartje steekt haar neus in de lucht.

'Tuurlijk durf ik!'

Harde groene appeltjes

Ze sluipen eerst door het steegje aan de achterkant
van de huizen.
Bij een van de tuinen blijven de jongens staan.
'Hier is het,' zegt Niek zacht.
Ze loeren door de heg.
'Hoe heet ze eigenlijk?' fluistert Maartje.
Ze is helemaal vergeten dat ze zich verveelde.
Misschien is het hier toch niet zo saai als ze dacht.
'Weten we niet,' zegt Niek.
'Wat maakt dat nou uit,' zegt Robbie.
'Het is gewoon een gek oud wijf.'
'Zal ik gaan kijken?' biedt Maartje aan.
Ze schrikt er zelf van.
Maar nu kan ze niet meer terug.
En het is spannend om mee te doen met grotere
jongens.
'Durf je tóch niet!'
'Tuurlijk durf ik!' zegt Maartje weer.
'Wachten jullie maar hier.'
Ze holt het steegje uit en rent de hoek om.

Voor het huis van de oude mevrouw blijft ze staan.
Er zit wel een naambordje op de deur, maar dat kan
ze niet lezen.
Het is te ver weg, en het zijn van die ouderwetse
krullerige letters.

Even aarzelt Maartje, dan loopt ze het tuinpad op.
M. Fledder, staat er op het bordje.
Voor het raam naast de voordeur beweegt het
gordijn.
Maartje ziet het niet.
Ze rent het tuinpad weer af.

'Ze heet Fledder!'
'Fledder?' Robbie giert van het lachen.
'Wie heet er nou Fledder!'
'Ssst, niet zo hard!' waarschuwt Niek.
Maar Robbie luistert niet.
Hij sluipt naar de tuin naast die van mevrouw
Fledder.
Daar staat een knoestige appelboom.
Hij zit vol met appeltjes.
Keiharde groene appeltjes.
Robbie trekt een appeltje van een tak.
Hij buigt de heg opzij en gooit.
Boing!
Het appeltje spat tegen het keukenraam uit elkaar.
'Wegwezen!' sist Niek.
Achter elkaar schieten ze de steeg door, en weer naar
de straat.
'Zo,' zegt Robbie tevreden.
'Nou staat zij aan de achterkant, kunnen wij mooi
pijltjes schieten.'
Hij geeft Maartje een duw.

'Zet de brievenbus eens open.'
'Nou zeg,' zegt Maartje.
'Waarom moet ik dat doen?'
'Daarom,' zegt Robbie.
'En anders hoepel je maar op.'
Maartje kijkt naar Niek.
Maar die zegt niks.
Ze haalt diep adem.
Weer loopt ze het tuinpad op.
Haar knieën knikken.
Niks laten merken, denkt ze.
Ze trekt de klep van de brievenbus open.
Het is een rechtop-brievenbus, en de klep blijft
keurig openstaan.

Robbie staat al klaar met zijn blaaspijp.
Ffft!
De eerste pijl suist naar binnen.
Een tweede... en een derde...
Ze gaan door tot alle pijlen op zijn.
'Ze komt niet,' zegt Niek teleurgesteld.
'We moeten wat anders verzinnen.'
'Ik weet al wat!' schreeuwt Robbie.
Hij geeft Maartje weer een duw.
'Ga jij eens een bloempot halen, en een stuk touw.'
Maartje denkt aan de rommel thuis.
Alsof zij weet waar de bloempotten zijn!
'Doe het zelf,' zegt ze.

Niek kijkt op zijn horloge.
'Ik moet naar huis, eten.'
'Hoe laat is het dan?'
'Al half zes.
En als ik te laat kom, wordt m'n vader kwaad.
Kom je morgen weer?' zegt hij tegen Maartje.
'Dat beslis ík wel,' zegt Robbie.
'Of ze mee mag doen.'
'Pff,' zegt Maartje.
'De straat is vrij, hoor!'

Thuis zitten papa en mama uit te puffen tussen de
dozen.
'Waar was je de hele middag?'
'Gespeeld,' zegt Maartje.
'Heb je al vrienden gemaakt?' zegt mama blij.
'Wat fijn, dan wordt het misschien toch nog een
leuke vakantie voor je.'
Maartje denkt aan Robbie.
'Misschien,' zegt ze.

Dit wordt lachen

Waar blijven ze nou?
Maartje zit al een uur op de stoep.
Ze kan wel naar Robbies straat gaan.
Maar ze weet niet in welk huis hij woont.
'Maartje!'
Mama hangt uit het raam.
'Als je je verveelt, kom mij dan maar helpen.'
'Ik verveel me niet!' roept Maartje terug.
Ze heeft de hele ochtend al geholpen.
Al haar kleren hangen in haar kast.
Alle knuffels liggen op haar bed.
Alle boeken staan netjes op haar plank.
Onder haar bloes heeft ze een bloempot verstopt.
Die had ze in een doos gevonden.
Dus wil ze helemaal niet naar binnen.
Dan vraagt mama natuurlijk wat ze met die bloempot
gaat doen.
En misschien is het beter als ze dat niet weet.
Maartje weet het trouwens zelf nog niet.

'Hoi!' zegt een stem.
Maartje schrikt zich rot.
'Hoi!'
Daar staat Niek.
'Ga je mee Robbie ophalen?'

Robbie zegt niet eens dankjewel voor de bloempot.
Hij geeft Maartje een por.
'Zoek jij eens een stokje.'
'Wat voor stokje?'
'Doe niet zo stom, gewoon een takje of zoiets.'
'Nou zeg,' moppert Maartje.
'Ik ben je knechtje niet.'
Maar ze zoekt toch een afgebroken takje in een van de tuinen.
Robbie haalt een touwtje uit zijn broekzak.
Dat bindt hij aan het takje.
Daarna trekt hij het touwtje door het gat in de bloempot.
Nu ligt het takje onderin.
Maartje snapt er niks van.
'Wat ga je er nou mee doen?'
'Dat zul je wel zien.
Eerst moet er aarde in.'
Robbie graaft een paar handenvol modderige aarde op en vult de bloempot.
'Dit wordt lachen, jongens!'

Eerst lopen ze achterom.
Robbie loert weer door de heg.
'Ze staat in de keuken; kom op!'
Ze hollen de steeg uit, de hoek om en de straat in.
Tegenover het huis van mevrouw Fledder kruipen ze achter een auto.

15

Robbie houdt Niek de bloempot voor.

'Wil jij?'

'Eh...,' zegt Niek.

Hij schuift een beetje achter Maartje.

Robbie zucht.

'Ik zal het zelf wel weer doen, hoor, bange schijterd.'

Hij steekt de straat over.

Rustig wandelt hij het tuinpad op, maar dan komt hij terugrennen.

'Ik kan er niet bij.

Help even, Niek!'

Niek gaat bokstaan en Robbie klimt op zijn rug.

Hij zet de bloempot op de stenen richel boven de voordeur.

Dan maakt hij het touwtje vast aan de deurknop.

En opeens begrijpt Maartje wat hij van plan is.

Ze springt op.

'Robbie, niet doen!'

Robbie drukt op de bel.

Hij en Niek zijn net achter de auto verdwenen als de deur opengaat.

De bloempot wordt van de richel getrokken en smakt op de grond.

Mevrouw Fledder deinst achteruit.

Kluiten modder en bloempotscherven spatten alle kanten op.

De jongens liggen in een deuk.

'Hé Fledder!

Moet je nog een kledder?' schreeuwt Robbie.

'Hou je mond, joh!' fluistert Maartje.

'Húh,' zegt Robbie minachtend.

Hij gluurt door het raampje van de auto.

'Zie je wel, ze gaat al weer naar binnen.'

Hij draait zich om.

'Wat gaan we nou doen?'

'Wacht!' zegt Niek.

'Daar is ze weer!'

Maartje kijkt voorzichtig.

Mevrouw Fledder is lang en mager en grijs.

Haar haren zijn grijs, haar keurige mantelpakje is
grijs en haar schoenen zijn grijs.

Ze lijkt een beetje op een duif.

Ze heeft een takkenbezem in haar hand, en daarmee
gaat ze het tuinpad vegen.

'Net een heks,' giechelt Niek.

'Straks vliegt ze weg.'

Maartje lacht.

Ze vindt het wel zielig voor mevrouw Fledder, maar
toch moet ze lachen.

Mevrouw Fledder is klaar met vegen.

Ze zet de bezem tegen de muur, en dan doet ze iets
geks.

Ze zwaait!

Ze zwaait, en daarna gaat ze naar binnen.

Wraak

'Huh?' zegt Robbie verbaasd.

'Wuifde ze naar óns?'

'Welnee, joh,' zegt Niek.

'Ja,' zegt Maartje.

'Natuurlijk wuifde ze naar ons.

Naar wie anders?'

'Dat is lef!' zegt Robbie langzaam.

'Dat is lef!

Zwaaien naar ons!

Wat denkt ze wel!'

Hij springt op.

'We gaan wraak nemen, kom!'

Maartje snapt het niet.

'Wraak, waarom?'

'Daarom,' verklaart Robbie.

'En ik weet al wat.'

De jongens rennen de straat uit.

Maartje heeft geen zin meer in rennen.

Ze doet niks anders dan rennen.

Maar toch loopt ze er langzaam achteraan.

Als ze de hoek om komt, is Robbie al weer buiten.

Hij heeft een doos in zijn hand.

'Stoepkrijt', staat erop.

'Van m'n oma,' zegt Robbie.

'Speelt jouw oma nog met stoepkrijt?' vraagt

Maartje.

Niek lacht.

Robbie kijkt nijdig.

'Gekrégen, stommerd.'

'Speel jij dan nog met stoepkrijt?'

Robbie gaat voor Maartje staan.

Hij slaat zijn armen over elkaar.

'Jij hebt een grote mond,' zegt hij.

'Dat vind ik niet leuk.'

Niek houdt op met lachen.

Robbie draait zich naar hem om.

'Jij vindt dat ook niet leuk, toch?'

Niek haalt zijn schouders op.

Maar hij zegt niks.

Maartje zegt ook niks.

Robbie prikt met een vinger in haar maag.

Hij prikt hard, maar Maartje blijft staan.

'Doe je mee of doe je niet mee?'

De vinger prikt harder.

Maartje denkt na.

Ze denkt aan haar oude straat.

Daar heeft ze ook een keer de stoep volgekrijt.

Samen met Nienke, haar vriendin.

Ze deden het bij een buurvrouw.

Die zeurde altijd zo.

Over de fietsen die tegen haar hekje stonden.

Over het hinkelhok dat ze tekenden.

Dat ze te hard praatten.

Dat ze te hard lachten.

Dat ze rommel maakten op straat.

Terwijl dat helemaal niet waar was.

Dus die buurvrouw had het wel verdiend.

En misschien is mevrouw Fledder ook wel zo'n akelig mens.

Ze zucht.

Was Nienke er maar.

'Nou?' zegt Robbie.

'Goed,' zegt Maartje.

Ze zien het al uit de verte.

Bij mevrouw Fledder hangt een briefje op de deur.

Aarzelend staan ze stil.

'Wat zou erop staan?' zegt Niek.

'Dat ze met vakantie is,' zegt Maartje.

Niek begint te lachen.

Robbie wordt weer nijdig.

'Ben jij altijd zo lollig?'

'Nou, het kán toch?'

En opeens zegt ze: 'Ik ga wel kijken.'

'Wauw!' zegt Niek.

Hij kijkt naar Maartje.

'Vind je dat niet eng?'

'Niks hoor,' zegt Maartje.

'Gisteren durfde ik toch ook?'

Die Niek is dom, zeg.

Mevrouw Fledder is immers niet thuis?

Anders zou er geen briefje hangen.
Langzaam loopt ze het tuinpad op.

Op het briefje staat:
Ik ben weg.
Even niet pesten, a.u.b.

Stoepkrijt

Ze hebben de hele stoep volgekrijt.
Roze, groen, blauw en geel.
Robbie heeft mevrouw Fledder getekend.
Als heks.
Ze heeft een wrat op haar neus.
En ze vliegt op een bezem.
Haar mantelpakje is nu roze.
En haar haren zijn groen.
Maar toch lijkt het wel een beetje.
Dat komt door het mantelpakje.
Maartje heeft een bloemenslinger getekend.
En Niek heeft overal Fledder, Fledder, Fledder
geschreven.
Niet alleen op de stoep, maar ook op het tuinpad.
Met het laatste stukje krijt schrijft Robbie:
Wij komen terug!
'Zo,' zegt hij tevreden.
'Wat denkt ze wel, die ouwe heks.
Even niet pesten, poeh!
Ik pest wanneer ik wil.'
'Toch is het raar,' zegt Niek.
'Wie schrijft dat nou.
Net of ze het helemaal niet erg vindt.'

Ze slenteren de straat uit.
Voor Robbies huis gaan ze op de stoep zitten.

Robbie gooit steentjes in de put.
Als je goed luistert, kun je ze horen plonzen.
'Je broek is helemaal roze,' wijst Niek.
'Die heb je toch pas?'
'Geeft niks,' zegt Robbie.
'Dan koopt m'n moeder gewoon weer een nieuwe.'
Hij veegt zijn handen nog eens extra af.
Maartje kijkt naar haar eigen spijkerbroek.
De knieën zijn knalgeel, en onderaan is hij groen.
Stoepkrijt gaat er toch wel af in de was?
Anders zul je haar moeder horen...

'Ik weet al wat nieuws,' zegt Robbie.
'Gisteren stond haar fiets tegen het hek.'
Hij knipoogt naar Niek.
'Misschien staat die er straks ook wel weer.'
'Kunnen we niet eens gewoon spélen?' vraagt
Maartje.
'Spelen?'
De jongens kijken haar verbaasd aan.
'Wat is daar nou aan,' zegt Robbie.
'Dit is veel leuker.
Maar morgen kan ik niet.
En overmorgen ook niet.
Ik moet m'n vader helpen.
Wij krijgen een vijver in de tuin.
De grootste van de hele buurt.'
Hij doet zijn armen wijd.

'Zúlke vissen komen erin.'
'Dan moet je naar het kanaal gaan,' zegt Maartje.
'Als je grote vissen wilt.
Daar zitten zúlke snoeken.'
Ze doet ook haar armen wijd.
Robbie kijkt haar wantrouwig aan.
Maar Maartje lacht vriendelijk.
'Nee, stommerd,' zegt Robbie.
'Ik bedoel goudvissen, en karpers.
Hele dure, die heten koi-karpers.'
'Wij hebben ook een vijver,' zegt Niek tegen Maartje.
'Met kikkers erin.
En we hadden allemaal kikkervisjes.'
Robbie snuift.
'Dat snertvijvertje van jullie!
Mijn vader zegt dat je daar niet eens je voeten in kunt wassen.
Die koi-karpers van ons, die komen uit Japan...'
'En die spreken allemaal Japans,' giechelt Maartje.
Niek trekt zijn ogen tot spleetjes.
'Hoi koi noi,' zegt hij met een piepstemmetje.
'Ikke kalpel uit Japan, ikke héééél lekkel.'
Robbie springt op.
'Als jullie zo stom doen, ga ik naar huis.'
'Doei!' roept Maartje vrolijk.

25

Een brief voor Nienke

Maartje zit op haar kamer.
Ze heeft een kaart van Nienke gekregen.
Uit Frankrijk.
Er staat een meer op, met allemaal witte zeilboten.
Het is mooi weer op de kaart.
Het water is heel blauw, en de lucht erboven ook.
Nienke heeft de achterkant helemaal volgekrabbeld.
Je kunt het haast niet meer lezen.
Maartje heeft de kaart boven haar bed geprikt.
En nu schrijft ze een brief terug.
Ze heeft veel te vertellen.
Over het nieuwe huis.
En over Robbie en Niek.
Ze heeft verteld van de pijltjes.
En van het stoepkrijt.
Maar niet van de bloempot.
De brief is bijna klaar.
Alleen haar naam moet er nog onder.
Nienke is nog met vakantie, maar dat geeft niet.
Als ze thuiskomt, ligt Maartjes brief op de mat.
En post is altijd leuk.

Maartje schrijft heel netjes haar naam.
Daarna kiest ze een envelop.
Een mooie lichtblauwe met bloemetjes.
Nu nog een postzegel.

De postzegels zijn op.
'Ga maar even naar het postkantoor,' zegt mama.
'Dan kun je er voor mij ook een paar kopen.
Het is hier vlakbij, weet je wel?
Naast die grote supermarkt.'
Ze kijkt uit het raam.
Het regent nog steeds.
Het giet al de hele dag.
'Neem mijn paraplu maar mee.'

Helemaal verstopt onder de paraplu loopt Maartje
naar het postkantoor.
Eigenlijk is het best leuk, zo in de regen.
De druppels tikkelen vrolijk op de paraplu.
Net als wanneer ik in mijn tentje lig, denkt Maartje.

In het postkantoor is het druk.
Er staat een lange rij mensen.
Voor Maartje staat een mevrouw haar paraplu uit te
schudden.
De druppels vliegen alle kanten op.
'Moet dat?' moppert een meneer.
'Ik ben al nat genoeg.'
De mevrouw draait zich om.
Maartje krijgt een kleur van schrik.
Mevrouw Fledder!
Maartje kijkt gauw de andere kant op.
Ze kent me toch niet, denkt ze.

Ik ken haar wel, maar zij mij niet.
Maar dan zegt mevrouw Fledder:
'Geen weer om buiten te spelen, meisje.'
'Nee,' zegt Maartje.
'De pijltjes worden nat,' zegt mevrouw Fledder
opgewekt.
'Ja,' zegt Maartje.
'En het stoepkrijt spoelt vanzelf weg.'
'Ja,' fluistert Maartje.
De rij schuift een stukje op.
Maartje heeft het warm.
Is ze nou nóg niet aan de beurt?
'Die appeltjes,' zegt mevrouw Fledder.
'Die moeten jullie niet eten, hoor.'
'Ja,' zegt Maartje.
'Nee, bedoel ik.'
Haar oren worden rood.
'Hoewel...,' zegt mevrouw Fledder.
'Misschien moeten jullie ze juist wél eten.
Zodat je heel erge buikpijn krijgt.
Met van die akelige steken.
Zo'n buikpijn waarvan je moet poepen.
Allemaal kleine groene stukjes appel.'
Maartje knikt.
Haar oren gloeien.
'Ik moet hier postzegels kopen,' zegt mevrouw
Fledder.
'Jij ook?'

Maartje knikt weer.
'En daarna loop ik naar huis,' zegt mevrouw Fledder.
'Ik wilde op de fiets, maar ik moest lopen.
Want opeens was mijn band leeg.
Begrijp jij hoe dat komt?'
Robbie! denkt Maartje.
'Nee,' zegt ze.
Haar oren lijken wel straalkacheltjes.
'Zullen we dan maar samen teruglopen?' zegt
mevrouw Fledder.
'Of ben jij wel op de fiets?'
Maartje schudt haar hoofd.
De rij schuift weer een stukje op.
'Dan gaan we gezellig samen,' beslist mevrouw
Fledder.

Maartje treuzelt.
Eerst vraagt ze hoeveel er op een brief moet, terwijl
ze dat best weet.
En daarna of er nog speciale postzegels zijn.
De meneer achter de balie wordt ongeduldig.
'Schiet eens een beetje op,' zegt hij.
'Er staat nog een hele rij achter je.'
Maar Maartje laat zich niet haasten.
Ze geeft de meneer precies gepast geld.
En daarna laat ze haar portemonnee vallen.
Dat is per ongeluk, maar het kost wel tijd.
Heel langzaam plakt ze een postzegel op haar brief.

Heel langzaam loopt ze naar buiten.
Mevrouw Fledder staat er nog.
Onder haar paraplu.

Maartje steekt gauw haar eigen paraplu op.
Ze kruipt er helemaal onder.
Maar naast haar doemen een paar grijze benen op.
'En nu maar vlug naar huis,' zegt mevrouw Fledder.
'Eens kijken of er nog een verrassing op me wacht.'
Maartje zegt niks.
'Jij woont zeker in dat huis met die rode voordeur?'
vraagt mevrouw Fledder.
'Dat heeft een hele poos leeggestaan.'
Maartje knikt, maar dat kan mevrouw Fledder
natuurlijk niet zien.
'Ja,' zegt ze daarom.
'Jij lust vast wel een kopje thee,' zegt mevrouw
Fledder vrolijk.
'Dan kunnen wij eens wat beter kennismaken.'
'Ik moet eigenlijk naar huis,' zegt Maartje.
'Anders weet mijn moeder niet waar ik blijf.'
'Dan ga je het toch even zeggen?'
Maartje zucht.
Heel zachtjes.
Nu kan ze er niet meer onderuit.

Pas als ze thuis is, ziet ze dat ze haar brief nog in
haar hand heeft.

Ook dat nog.

'Waar zit je met je gedachten?' vraagt mama.

Maartje mompelt iets.

Ze trekt haar jas maar weer aan.

Voor het huis van mevrouw Fledder staat een damesfiets.

De voorband is zo plat als een dubbeltje.

Wat een rotstreek, denkt Maartje.

Boem

Mevrouw Fledders huis ziet er gezellig uit.
Overal staan grote planten, en op de tafel ligt een
dikke grijze poes te slapen.
'Dat is Saar,' zegt mevrouw Fledder.
Ze laat de poes rustig liggen.
Ze schenkt thee in voor Maartje en ze legt er een
grote stroopwafel naast.
Maartje neemt kleine muizenhapjes.
Ze brandt haar mond aan de hete thee.
Aan de muur hangen grote schilderijen in allemaal
vrolijke kleuren.
Maartje bekijkt ze aandachtig.
'Die schilder ik zelf,' zegt mevrouw Fledder.
'Een mens moet toch iets te doen hebben.'
Ze klopt de kruimels van haar rok.
Ze heeft weer een mantelpakje aan.
Een grijs met groene ruiten.
Zou ze dat ook aanhebben als ze schildert?
'Nu weet ik nog niet eens hoe je heet.'
'Maartje.'
'Maartje? Zo heet ik ook!' roept mevrouw Fledder
'Echt waar?'
Maartje gelooft er niks van.
'Echt waar,' zegt mevrouw Fledder.
'Kijk maar op het naambordje.
Maar dat had je natuurlijk al gezien.'

Maartje krijgt weer een kleur.
Maar ze moet toch lachen.
'Wil je een keertje komen kijken als ik schilder?'
vraagt mevrouw Fledder.
'Als je het leuk vindt, mag je zelf ook een schilderij
maken.
Dan heb je iets nieuws op je nieuwe kamer.'
'Dat wil ik wel,' zegt Maartje.
Eigenlijk wil ze niet.
Maar dat durft ze niet te zeggen.
En een schilderij maken is wel leuk, natuurlijk.
'Heb je al een vriendinnetje gevonden?'
'Nee,' zegt Maartje.
'Speel je daarom met die jongens?'
Maartje knikt.
Ze schuift op haar stoel heen en weer.
Ziet ze daar iets bewegen, in de voortuin?
'Ik heb vakantie, enne...'
Ze rekt haar hals.
Is dat het rood van Robbies jack?
'Ja, natuurlijk,' zegt mevrouw Fledder.
'En soms verveel je je in de vak...'
BOEM!!!

De poes vliegt van de tafel af en schiet onder
de bank.
Haar oren liggen plat in haar nek, en haar
staart is dik.

Maartje springt overeind.
'Wat was dat?'
Mevrouw Fledder staat al bij het raam.
'Je vriendjes,' zegt ze.
'Maar... maar die klap?'
'Vuurwerk, denk ik.'
Mevrouw Fledder loopt naar de gang.
Maartje loopt er langzaam achteraan.
Vuurwerk?
Hoe komt Robbie aan vuurwerk, midden in de
zomer?

Mevrouw Fledder doet de voordeur open.
Op de groene verf zit een grote schroeiplek.
Het ruitje van de deur is gebarsten.
Aan de deurknop hangt nog een stukje touw.
De stoep ligt vol met rode papiertjes.
Mevrouw Fledder bukt zich.
'Zijn dat geen rotjes?'
Maartje staart naar de brandplek.
Zou Robbie dit bedoeld hebben toen hij zei dat hij
nog iets leuks wist?

Een zomertuin

Maartje zit bij mevrouw Fledder op zolder.
Ze schildert.
Ze heeft het thuis gevraagd.
Ze hoopte nog stiekem dat het niet mocht.
Maar mama zei: 'Die oude mevrouw woont maar
alleen.
Ze is vast blij met een beetje gezelschap.'

De zolder ziet eruit als een echt atelier.
Overal liggen ouwe lappen en tubes verf en
kwasten.
Er staat zelfs een schildersezel.
Het ruikt er ook lekker, een scherp luchtje dat in je
neus prikt.

Mevrouw Fledder heeft fijne verf.
Veel beter dan die ze op school hebben.
En ook veel meer kleuren.
Maartje maakt een groot schilderij.
Niet op linnen, maar op dik wit papier.
Eerst wilde ze een schilderij maken dat iets
voorstelt.
Maar nu doet ze het net als mevrouw Fledder.
Gewoon allemaal kleuren door elkaar.
Rood en oranje en geel en groen.
Met een dikke kwast smeert ze de verf erop.

Het stelt niks voor, maar toch lijkt het ergens op.
Een tuin, denkt Maartje.
Het lijkt op een tuin.

Achter haar staat mevrouw Fledder.
Ze heeft een grijze stofjas aan, die onder de
verfvlekken zit.
En ze fluit.
Ze fluit het ene liedje na het andere.
Het klinkt erg vals en erg vrolijk.
Ze lijkt helemaal niet op een eenzame oude
mevrouw.
Ze doet een stapje achteruit.
'Hoe vind je het?'
Maartje aarzelt.
De schilderijen beneden zien er blij uit.
Maar dit...
'Somber, hè?' zegt mevrouw Fledder.
'Al dat paars en zwart.
Maar ik was nog boos vanwege de rotjes.
Zal ik er wat goud bij doen?'
Ze maakt een brede baan van gouden stippeltjes.
Ze dansen dwars over het schilderij.
'Zo beter?'
'Ja!' zegt Maartje.
'Zo lijkt het net toverstof.
Van een heks of zo.'
Meteen bijt ze op haar lip.

Maar mevrouw Fledder lacht.

'Ik wist heus wel dat Robbie die heks getekend had.'

'Hoe..?' begint Maartje.

'Hoe ik weet dat hij Robbie heet?

Jij wilde me dat natuurlijk niet vertellen.

Maar ik ken hem wel.

En Niek ook.

Ach ja.

Robbie is altijd een lastig jongetje geweest.'

Maartje grinnikt.

Jongetje!

Laat Robbie het maar niet horen.

Mevrouw Fledder knijpt in een tube rood.

Ze maakt een paar rode spatten op haar schilderij.

'Ik woon hier al heel lang.

Dus ik ken de hele buurt wel zo'n beetje.'

Ze doet weer een stapje achteruit en houdt haar hoofd schuin.

'Ik ben klaar.

En jij?'

'Ik ook wel, geloof ik.'

Maartje maakt nog een laatste hoekje geel.

'Het is prachtig,' zegt mevrouw Fledder.

'Waar lijkt het op?'

'Op een zomertuin,' zegt Maartje.

'Dan heet het "een zomertuin",' beslist mevrouw Fledder.

Ze pakt een heel dun kwastje.

'Schrijf het er maar op.
Daar links onderaan.
Daar staat altijd de titel.'

Terwijl ze wachten tot de verf droog is, drinken ze thee.
Daarna verpakt mevrouw Fledder het schilderij netjes in papier.
'Zo, laat het thuis maar zien.'

Als de voordeur achter haar dichtvalt, draait Maartje zich om om te zwaaien.
Maar ze zwaait niet.
Haar mond valt open, en het schilderij glijdt bijna onder haar arm vandaan.
Op de voordeur, over de schroeiplek heen, is roze verf gekliederd.
Het loopt in straaltjes naar beneden.
En het raam links van de deur, het raam van het rommelkamertje, is wit.
Helemaal wit geschilderd.
Er kan geen licht meer doorheen.
Robbie, denkt Maartje.
Ze kijkt naar het grote raam.
Daar staat mevrouw Fledder.
Haar hand gaat al omhoog.
Maartje wijst.
Mevrouw Fledder holt naar de gang.

Ze rukt de deur open.
Eerst zegt ze niks.
Ze bekijkt de deur.
En daarna het raam.
En dan zegt ze: 'Dit gaat te ver.
Ik hou niet eens van roze!'

Mevrouw Fledder neemt wraak

Maartje zit op de stoep.
De zon schijnt warm op haar rug.
Boven haar hoofd zit een merel in de boom.
Hij fluit net zo hard als mevrouw Fledder.
Maar niet zo vals.
Maartje is al twee keer bij mevrouw Fledder
geweest.
Ze heeft aangebeld.
Ze is achterom gelopen.
Maar er werd niet opengedaan.
De roze verf is van de voordeur geboend.
Je kunt de schroeiplek weer zien.
Het raam van het rommelkamertje is ook weer
schoon.
Maartje wilde helpen, maar dat mocht niet.
Dat was gisteren.
En nu is mevrouw Fledder er niet.
De hele ochtend al niet.

Robbie en Niek heeft Maartje niet meer gezien.
Niet dat ze dat erg vindt.
Maar nu verveelt ze zich wel.
Papa is weer naar zijn werk.
En mama luiert in de tuin.
Maartje heeft alles verteld.
Van de pijltjes, en de rotjesbom en de bloempot.

En toen ook maar van de verf.

Papa moest lachen om de pijltjes.

Maar toen hij van de verf hoorde, vond hij dat ook niet leuk.

En mama trok haar gezicht.

Het gezicht dat ze trekt als Maartje iets heeft uitgehaald.

Dan krijgt ze een frons, en dunne lippen.

'Ik vind het zielig voor die oude mevrouw,' zei ze.

'Ik ook,' zei Maartje.

Maar eigenlijk vindt ze dat niet echt.

Dat is wel raar.

Ze zit er nu op de stoep over te denken.

Mevrouw Fledder is oud.

En ze wordt gepest.

Waarom is ze dan niet zielig?

Maartje kijkt de straat uit.

In de verte komt iemand aan.

Iemand met grijze haren en in een grijze stofja_.

En die iemand loopt naast een fiets.

De fiets hangt vol met spullen.

Aan de ene kant van het stuur hangt een keukentra.

Aan de andere kant een emmer.

Achterop, onder de snelbinders, wiebelt een groot blik.

Dat is toch niet...?

Maartje staat langzaam op.

Mevrouw Fledder ziet haar niet.
Of wil ze haar niet zien?
Ze loopt gewoon door.
In haar hand houdt ze een lange stok.
Aan het uiteinde is een verfroller gebonden.
In de emmer staan kwasten.

Maartje durft niet naast mevrouw Fledder te gaan
lopen.
Maar ze loopt er wel achteraan.
Voor Robbies huis blijft mevrouw Fledder staan.
Maartje loopt naar de overkant.
Ze gaat op de stoep zitten.
Mevrouw Fledder haalt een pak stoepkrijt uit de
emmer.
Ze gaat op haar hurken zitten en begint te krijten.
Maartje kijkt met open mond toe.
Er komt een meisje naast haar zitten, maar Maartje
let er niet op.
'Wat doet die mevrouw?' vraagt het meisje.
'Ze is aan het stoepkrijten,' zegt Maartje.
Ze kijkt opzij.
Het meisje heeft een paardenstaart, en net zulke
aardige ogen als Nienke.
Mevrouw Fledder tekent een dik jongetje met
stekeltjeshaar.
Maartje begint te lachen.
Eerst zachtjes, maar dan steeds harder.

'Waarom doet ze dat?' vraagt het meisje.

'Dat... dat leg ik straks wel uit,' giert Maartje.

Mevrouw Fledder is klaar met haar tekening.
Ze haalt het grote blik onder de snelbinders vandaan
en maakt het open.
Dan klimt ze op de keukentrap.
Ze doopt de verfroller in het blik en begint de
slaapkamerramen wit te verven.
De trap wiebelt een beetje.
Maar mevrouw Fledder doet het keurig.
Geen stukje ruit slaat ze over.
Als ze klaar is, doet ze het deksel weer stevig op het
blik.
Maartje weet al wat er komen gaat.
Ze lacht zo hard, dat ze er steken van in haar zij
krijgt.
Het meisje naast haar lacht mee.
'Leuk, hè?'
'Nou!' zegt Maartje.
Mevrouw Fledder heeft een ander blik opengemaakt.
Ze kijkt even nadenkend naar de voordeur.
Dan schildert ze er een mooie, grote krul op.
Een *roze* krul.
En nog een.
Het staat erg vrolijk.
En dan vliegt de voordeur open.
Een grote man stuift naar buiten.

Een grote, dikke man.
Robbies vader natuurlijk.
Hij heeft laarzen aan.
Zou de vijver nog niet klaar zijn?
'Ben je nou helemáál gek geworden?' brult hij.
'Goedemiddag,' zegt mevrouw Fledder vriendelijk.
'*Goedemiddag*?' schreeuwt Robbies vader.
'Wat gebeurt hier?
Waarom doet u dat?
Hou daarmee op of ik bel de politie!'
Hij schreeuwt zo hard dat zijn gezicht knalrood
wordt.
'Zit ik effe rustig met een pilsje, komt er een gek
wijf de boel onderkladden.
Vernielen is het, en je zult het me vergoeden, of
anders...!'
'Beste man,' zegt mevrouw Fledder, en ze schildert
nog een artistieke krul.
'Beste man, ik doe niets anders dan...'
Robbies vader luistert niet.
Hij stort zich naar voren en rukt mevrouw Fledder de
kwast uit haar hand.
'*Roze*!' schreeuwt hij.
'Roze verf op mijn nieuwe voordeur.
Ja, kijk maar eens goed, dat is een nieuwe deur!
Een dure deur, en nou is-ie roze!'
Hij smijt de kwast op de grond en geeft er een trap
tegen.

Roze druppels spatten in het rond.

Mevrouw Fledder knikt.

'Ik dacht dat u van roze zou houden,' legt ze uit.

'Uw zoontje houdt er erg van.'

'Mijn zoon?

Wat heeft Robbie hiermee te maken?'

'Dat zal ik u vertellen,' zegt mevrouw Fledder.

Maar Robbies vader krijgt de slaapkamerramen in
het oog.

'M'n ruiten!

Wat heb je op m'n ruiten gesmeerd, ouwe heks?'

'Witkalk,' zegt mevrouw Fledder.

Ze legt troostend een hand op zijn arm.

'Gewoon boenen, dan gaat het er wel weer af.

Wel veel water gebruiken.

En een harde borstel.'

Het lijkt wel of Robbies vader opzwelt.

Zijn ogen puilen bijna uit zijn hoofd.

Zo meteen ploft-ie, denkt Maartje bezorgd.

Ze kijkt opzij.

De ogen van het meisje zijn net zo groot als die van
Robbies vader.

'Kijk,' zegt mevrouw Fledder.

'Uw zoontje heeft mijn voordeur ook beschilderd.

En mijn raam.

Ik had alleen geen rotjes, zoals hij.

Anders had ik die aan de deurknop gehangen.

Voor een knaleffect, begrijpt u wel?'

Robbies vader begint het te begrijpen.
Hij kijkt naar de stoep, naar de tekening van Robbie.
'Rotjes,' zegt hij.
Mevrouw Fledder knikt.
'Witkalk,' zegt Robbies vader zacht.
Mevrouw Fledder knikt weer.
'Roze verf,' fluistert Robbies vader.
Dan draait hij zich om.
'*Robbie!*'

Mevrouw Fledder legt de kwast weer in de emmer.
Ze drukt het deksel stevig op haar verfblik.
Ze hangt de keukentrap weer aan het stuur.
'Goedemiddag,' zegt ze weer.
Maar Robbies vader hoort het niet.
Hij is al binnen.

Mevrouw Fledder loopt de straat uit.
Ze fluit.
Heel hard en heel vals.
'Wat een leuke mevrouw,' zegt het meisje.
'Ja hè?' zegt Maartje.
'Woon je hier in de straat?'
Het meisje knikt.
'Ik ben net terug van vakantie.'
Ze wijst.
'Ik woon daar.
En jij?'

'Om de hoek,' zegt Maartje.
'Ik woon er nog maar pas.'

Ik ben op vakantie,
ben ik al bruin?
Ik lig hier zo heerlijk
in de zon op het duin.
Ik ben uit en toch thuis,
dus hoef ik niks mee.
Wat is het toch fijn,
een vakantie aan zee!

In Spetter 5 zijn verschenen:

Spetter is er ook voor kinderen van 6 en 7 jaar.